Les allées lueurs

Données de catalogage avant publication de la
Bibliothèque nationale du Canada

Perron, Jean, 1960-
        Les allées lueurs

(Collection Fugues/Paroles)
Poèmes.
ISBN 2-921463-68-7

        I. Titre. II. Collection.

PS8581.E7465A84 2002   C841'.54   C2002-900845-X
PQ3919.2.P47A84 2002

Les Éditions L'Interligne remercient le Conseil des Arts
du Canada, la Ville d'Ottawa, le ministère du Patrimoine
canadien par l'entremise du PADIÉ et du PICLO et le
Conseil des arts de l'Ontario de l'aide apportée à leur pro-
gramme de publication.

Conception de la couverture : Christian Quesnel
Mise en pages : Stefan Psenak

Distribution : Diffusion Prologue Inc.
Tél. sans frais: 1 800 363-2864

Jean Perron

Les allées lueurs

poésie

Collection « Fugues/Paroles »

DU MÊME AUTEUR

Rythmes de passage, vidéo poésie, Centre d'artistes Axe Néo-7/Daïmon, 2001.

Les Sortilèges de la pluie, roman jeunesse, Le Loup de gouttière, 2001.

Orchestre fugitif, poèmes et suites poétiques, Écrits des Forges, 1999.

Autoroute du soir, roman, Vents d'Ouest, 1998.

Des rêves que personne ne peut gérer, sept suites poétiques, Écrits des Forges, 1996.

Le Chantier des étoiles, roman, Vents d'Ouest, 1996.

Un radeau au soleil, suite poétique en deux traversées, Écrits des Forges/Le Graal, 1994.

Parfums des rues, poèmes, Écrits des Forges, 1993.

Ce qui bat plus fort que la peur, poèmes, Écrits des Forges, 1991.

Un scintillement de guitares, poèmes, Écrits des Forges, 1988.

Le Chant des sirènes, proses et poèmes, autopublication, 1987.

Rock Desperado, poèmes et chansons, Écrits des Forges, 1986.

*Des solitaires en silence
errent dans la salle des étoiles*

Georg Trakl

ITINÉRAIRE

le mouvement des êtres et de la lumière
le goût de la vie et la senteur du temps
tout ce que je capte
comme une musique
un instant dans mes mots
repassera
chaque fois que des yeux liront ces mots
aussi longtemps qu'en subsistera
la trace
chez quelqu'un où que ce soit

ici le quotidien devient un corps
tatoué d'innombrables textes
étendus
les uns sur les autres
remuant ciel et terre à force de caresses
les mots entrent par les pores de la peau
mélangent leurs tons
jusqu'à inventer de nouvelles couleurs
mêlent leur sang leur ombre
leur part de mystère
en un pacte entre deux verbes faits chair
lire et écrire
des émotions sans nom
sur des rivages où le soleil est une langue
agile comme les chevaux de lueurs
dans l'écume des êtres qui vont et qui viennent
les uns dans les autres

BOULEVARD
DES ASPIRATIONS

Avec soulagement, avec humiliation, avec terreur,
il comprit que lui aussi était une apparence,
qu'un autre était en train de le rêver.

Jorge Luis Borges
Les ruines circulaires

I

il aurait pu ne pas se réveiller
l'homme qui ouvre les yeux ce matin
ne plus jamais revenir au monde
c'est la première chose qui lui vient à l'esprit
en promenant un regard dans sa chambre

il pourrait ne plus être
tant d'autres ont été et ne sont plus
d'ailleurs où sont-ils en ce moment
voient-ils entendent-ils
ressentent-ils encore quelque chose
quelque part

des râlements lui parviennent
ou est-ce un bruit d'outils électriques
il imagine quelqu'un en train de mourir
quelqu'un dont il ne veut pas voir le visage
de peur que ce soit le sien

il risque un pied hors du lit
sa jambe s'enfonce dans l'eau
des débris flottent partout

en vain il tente de se souvenir
se trouvait-il à bord d'un bateau
ou d'un avion qui s'est écrasé dans l'océan

pourtant il reconnaît son décor ses meubles
même si la chambre tangue
comme en haute mer

une voile au loin
mais non c'est le rideau de la fenêtre
il s'approche et écarte
les pans d'une chemise de nuit
en soie légère

dehors
les yeux bandés
une belle femme nue
gantée chaussée et coiffée de noir
promène en laisse un cochon*
sur une grande artère bariolée

*Pornokratès, toile de Félicien Rops, 1878.

II

une petite fille prend son bain
dans le bassin d'une fontaine
sa maison de poupées flotte sur l'eau
elle s'amuse à la faire tanguer
en imitant le bruit d'un vent de tempête
un mugissement de fantôme

deux jeunes femmes traversent le parc
la poitrine ferme la cuisse insolente
leurs voix et leurs démarches vibrent dans l'air
elles gagneront beaucoup d'argent
et marieront des hommes beaux bons et riches
elles vivront dans de grandes maisons
à la campagne
tout en voyageant de par le vaste monde

sur un banc une vieille femme seule
toute ridée blanchie déformée
partage des miettes de pain ranci
avec quelques pigeons
qu'elle appelle ses chéris
pendant que la petite fille pose son œil bleu
sur une fenêtre de sa maison de poupée

« Ah! enfin le ciel s'éclaircit »
dit l'homme dans la chambre inondée

III

non ce ne sont pas les chutes Niagara
sous les feux du couchant
mais du cognac versé en gros plan
dans le verre d'un homme assis au bar
un corbeau perché sur son épaule

devant une grande carte dépliée sur le bar
il avale une gorgée en desserrant un peu
sa cravate en forme de signe de dollar
le voici qui se met à tracer des routes
éliminant d'un simple trait de plume
sous ses doigts couverts de bijoux
des quartiers entiers au cœur des villes
des fermes centenaires le long des villages
on entend monter en crescendo
les explosions de dynamite
et l'orage des mécaniques pachydermes
qui écrasent tout sur leur passage

seul l'homme penché sur la carte n'entend rien
il ne voit pas non plus se sauver
la petite fille qui prenait son bain
juste avant que le parc soit rasé
ni la vieille femme écrabouillée
comme une chiure de pigeon

quand les traits de plume finissent par former
une grande croix sur la carte
l'homme dessine au milieu
un être nu et sans sexe
avant de se signer de la main
en murmurant une prière
pour le bien de l'humanité

ensuite il porte son verre à ses lèvres
mais arrête son geste en apercevant
des manifestants qui brandissent des pancartes
derrière l'éclat doré du cognac

le barman voit passer sur son visage
une moue dédaigneuse mais distinguée
monsieur a-t-il un problème

une mouche dans mon verre
et puis vous savez
j'aurais pu ne pas me réveiller aujourd'hui
je sais qu'un jour ça va arriver
c'est même la seule certitude
que le passé lègue toujours
au bout du comptoir
d'une main tremblante
à l'avenir

IV

un train déraille dans le ciel
chaque mois vers la fin du cycle
deux ou trois jours avant la pleine lune
quand les rayons bleus par temps clair
déjà redessinent la nuit
et roulent des reflets
dans les longs cheveux
qu'une jeune femme peigne
à sa fenêtre en chantant

elle s'arrête pour jeter un coup d'œil
sous son balcon
et cet œil frappe le pavé
d'un éclat infrarouge
elle voit les traces des hommes qui l'ont suivie
la langue pendante comme des chiens en rut

vêtue d'une robe nuptiale
elle glisse lentement vers la ruelle
les traces fument comme des cratères
dans un fouillis de poubelles et d'échos

choisissant la piste la plus fumante
celle qui laisse un brouillard
partout sur son passage
la dulcinée remonte jusqu'à l'homme
en train de frissonner de désir
dans un lit bien trop grand pour sa solitude

elle aime voir ses yeux s'arrondir
jusqu'à devenir deux pleines lunes jumelles
quand elle exauce son vœu le plus cher
en retirant lascivement sa robe nuptiale

il se laisse bander les yeux
avant de tendre les mains vers elle
sans parvenir à la toucher
grognements
bave aux lèvres
un Frankenstein de bordel

c'est alors qu'éclate
un rire de fenêtres fracassées
en hurlant elle se jette sur lui
armée d'un poignard qu'il ne peut voir
de la tête aux pieds
il se sent transpercé
par une pluie de baisers mortels

perché sur le dossier d'une chaise
un corbeau observe la scène
une carte géographique
et une cravate en forme de signe de dollar
traînent par terre
maculés d'éclaboussures de sang

mais la robe à traîne demeure
d'une blancheur séminale
long rayon de lune au fil des rues
les hommes se retournent sur son passage
pour humer dans la brise son étrange parfum
ils la suivent jusqu'à former
un attroupement sous ses fenêtres

derrière l'immeuble
la lune s'est cachée
la jeune femme sort sur le balcon
pour saluer ses admirateurs
elle leur exhibe gracieusement une jambe
et lance sa jarretière
sur fond de ciel étoilé
au milieu des applaudissements

un canot glisse sur l'eau forte
entre des icebergs de verre et de béton
heurtant parfois un cadavre de bouteille
ou de ferraille aux quatre roues en l'air
l'horizon est un épais brouillard
une odeur de soufre et de pétrole
des hommes et des femmes translucides
passent comme des nuages
lambeaux de chairs couverts de torchons
vieux mouchoirs troués chiffonnés
et ces taches gluantes
ce sont des yeux encore ardents
des appétits de vitrines
maintenant en miettes sur cette mer étale
jonchée de billets de banque et de seringues
où flotte une robe nuptiale
d'une blancheur d'os rongé
et une longue chevelure nimbée de mouches

soudain un bruit de chasse d'eau
nous nous réveillons en sursaut
dans le jardin des enfants rient
ils nous tendent les petits fruits
qu'ils ont cueillis dans les champs du soleil

LA NEUVIÈME AVENUE

et la lumière fut
une autre fois sauvée

Gilbert Langevin
La saison hantée

ÉCHAPPÉ DU NÉANT

le matin fait le plein de lumière
se lance à la poursuite des ombres
les cambrioleurs de décibels
qui vont et viennent à travers les murs
pour aller déverser leur butin
le long des rues encore endormies

la ville bâille mais ses yeux brillent
comme la pointe acérée des heures
sur la gorge d'un rêve évadé

LE PORT DES NUAGES

à bord des vapeurs ancrées dans l'air
quand le jour oublie de se lever
que des pans de rues sans horizon

engloutis les signaux les balises
les absents déforment les regards

le temps ne s'écoule pas vraiment
juste une bruine d'instants qui flottent
sur les quais où nos pas se rencontrent
avant de retourner au brouillard

LE PASSAGE À PIÉTONS

sous les doigts des piétons aux passages
des sons désarticulés s'échappent
des oiseaux prisonniers d'un poteau

place aux êtres sans roues ni armure
temps d'arrêt pour la fragilité
des dessins d'enfants clignotent au vent

c'est Moïse ensemençant ses pas
dans l'asphalte d'une mer ouverte
en travers des trajets imposés

L'ESCALIER MÉCANIQUE

les saisons vivent dans les vitrines
les passants deviennent leurs reflets
des mannequins à bord d'un manège
à l'enseigne du pareil au même
les marches froides d'un escalier
sans cesse en train de monter descendre
comme tournent les chevaux de bois
comme passent les cibles mouvantes
au ralenti dans les stands de tir

UNE TABLE

jour après jour on vient s'y asseoir
seul ou par deux parfois même en groupe
sur la place publique une table
entourée d'enseignes lumineuses

on y échappe un peu de café
quelques cendres des bribes de vie
avant de retourner au tumulte
pendant que s'approche un tablier

d'un coup de chiffon tout recommence

LA PIZZERIA ÉTERNELLE

dans la tête des gens du quartier
Grecs Italiens Portugais Arabes
qu'importe c'étaient des étrangers
parmi les commerçants de la rue

des décennies se sont écoulées
les autres commerces ont disparu
mais eux continuent de bavarder
devant la même pizzeria
dans leur langue les beaux soirs d'été

LA GARAGISTE

cheveux au vent de la voie lactée
pieds dans le sang perdu des moteurs
et cette façon qu'elle a de dire
que j'ai besoin d'un changement d'huile

un coucher de soleil sur ses lèvres
la mécanique de l'univers
sous le capot de son regard clair

avec de l'essence et son sourire
je roule à fond entre ciel et terre

ROI DES LUEURS

au début le soleil est passé
mur à mur du plancher au plafond
ma tanière s'est changée en or
je fus riche le temps d'un rayon

à la fin la lune s'est pointée
a laissé glisser sa lumière
sur mes épaules au-dessus d'un texte
m'a brodé une cape argentée

j'ai brûlé le milieu et je règne

LIBRAIRIE

derrière l'éclat jaune au chapeau
dans le rectangle d'une fenêtre
on voit briller des rayons dc livres

un couple s'embrasse à bouche ouverte
ils enfilent leurs blousons leurs ombres

l'éclat jaune au chapeau se tient droit
se démultiplie le long des murs

les êtres du soir tachent le vide

les livres restent seuls en lumière

LES ARTÈRES
DE LA MÉMOIRE

source où bat le temps
toujours vierge

Gatien Lapointe
Corps-transistor

il y a des endroits
où personne ne reste
des lieux de transition
qui prennent valeur initiatique
avec les années
avec la distance
et même l'oubli ne les efface pas
ces lieux enfouis
dans nos entrailles

peut-être aussi
dans le regard du vent
ou la respiration de la lune

comme Proust en mangeant une pâtisserie
a retrouvé un morceau de son enfance
j'ai vu Trojan Court émerger
d'une image télé
un visage et un nom
que j'aurais dû avoir oubliés
tant d'années recouvraient ce bref souvenir
mais j'ai reconnu une enfant de Trojan Court
derrière cette femme enjouée et articulée
je revoyais une fillette pâle et chétive
blazer bleu marin jupe grise
elle vivait à côté de chez moi
ses frères étaient mes copains
pourquoi et comment l'ai-je reconnue
certains traits j'imagine
le bleu d'ancien ciel de son regard
les autres enfants se moquaient de son accent
de ses airs de petite fille trop sage
elle avait la larme facile
qui sait
quelques gouttes à mon insu
ont pu faire pousser
dans un sol inconnu de ma mémoire
cette mystérieuse fleur du souvenir
dont j'ignorais la présence

je me suis souvenu de mes voisins
et de cette mini-communauté
aussi effervescente qu'éphémère
des familles de quatre cinq six enfants
la plupart n'étaient que de passage
en attendant le prochain déménagement
dans une autre ville
sinon un autre pays

Trojan Court
je n'y ai pas fait deux fois le tour des saisons
mais c'était à l'âge des premiers poils de barbe
et je venais de laisser derrière moi
en banlieue de Montréal
la maison de mon enfance mes premiers amis

Trojan Court et ses remparts à l'entrée
Trojan Court trois petites rangées de maisons
serrées les unes sur les autres
et protégées par une clôture de bois
comme un bricolage en bâtons de pop-sicles

Trojan Court
à la fois porte tournante d'un monde dur
et dernier refuge de l'imaginaire

l'été on s'était construit des cabanes
avec des planches de la clôture
dans le p'tit bois derrière le projet
des saucisses rôtissaient
sur des bouts de branches
qui servaient également d'épées
contre les envahisseurs

souvenirs ordinaires sans doute
mais quand ce sont les nôtres

l'hiver
dans le parc au milieu de la place
c'étaient de vastes forteresses de neige
aux labyrinthes souterrains
des armées de lutins s'y chamaillaient
le soir après souper
sous le ciel noir

les constellations de la nuit des temps
se disputaient le destin de tous ces enfants
je n'en ai pas revu un seul
sauf elle
dans un salon du livre
belle grande femme enjouée et articulée
pourtant si heureuse
que quelqu'un ait reconnu en elle
une fille de Trojan Court

elle animatrice de télévision
moi auteur en « activité de promotion »
et pourtant
sans projecteurs
sans caméras
sans micros
sans l'ombre d'une stratégie promotionnelle
j'ai partagé
un ou deux souvenirs cocasses
j'ai demandé des nouvelles de ses frères

on ne vit vraiment que dans le cœur des autres

entre les grandes lignes de toute cette vie
qui se fait et se défait
tant de petites notes se glissent
ce sont des mots échangés
des airs entendus
des figures aperçues un instant
dans l'entrebâillement du jour et de la nuit
entre deux destinations
aux carrefours de toutes les perceptions

vivre c'est avant tout ressentir le monde
l'éprouver dans son mystère
à la fois familier et inaccessible

comme cette porte blanche que j'ai vue un jour
toute simple et jolie
sur le flanc d'une maison
avec une sonnette
mais sans poignée ni charnières
rien qui permette de l'ouvrir

la mémoire loge cependant ses enfants oubliés
dans ce genre de maison sans autre histoire
que les noms que le temps n'a pas effacés
et quelques images pâlottes aux fenêtres
habitées d'une lumière d'un autre monde
parce qu'elles n'existent plus
ces images
d'autres êtres sont venus
ailleurs nous sommes passés aussi

une chaude journée de juillet
en train de se changer lentement en soirée
j'y suis retourné au Trojan Court
minuscule projet domiciliaire
au cœur d'un quartier d'Ottawa
quelque part entre le cimetière de Vanier
et l'hôpital Montfort

disparus les remparts à l'entrée
rasé le p'tit bois derrière le projet
les cabanes sont devenues des immeubles
on n'échappe plus au monde adulte
d'ailleurs je n'ai pas vu un seul enfant
désert le terrain de jeu
et au milieu de la place
où l'hiver s'élevaient les forteresses de neige
un grand arbre a poussé
jusqu'à recouvrir presque tout l'espace

devant les façades vieillies de ces maisons
qui jadis portèrent des noms familiers
des inconnus étaient sortis prendre l'air
la lumière du jour déclinait lentement
le soleil rougissait comme un jeune homme
ému

dans les artères de la mémoire
au milieu de la nuit
alors que j'écris ces mots
derrière ma fenêtre éclairée
une pluie distraite tambourine sur les toits
le ciel rend les larmes

l'émotion vraie
restera
toujours
ma voisine

LE CHEMIN
DES HURLEMENTS

Je suivais la route avec deux de mes amis — le soleil se couche, le ciel devint rouge sang — je ressentis comme un souffle de mélancolie. Je m'arrêtai, je m'appuyai à la balustrade, mortellement fatigué; au-dessus de la ville et du fjord d'un bleu noirâtre planaient des nuages comme du sang et des langues de feu : mes amis continuèrent leur chemin — je demeurai sur place tremblant d'angoisse. Il me semblait entendre le cri immense, infini de la nature.

Edvard Munch
Le cri

L'HÔTEL DISPARU

c'était il y a un demi-siècle à peu près
je ne sais pas l'hôtel n'existe plus
et je n'étais pas né quand il a brûlé
j'en ai seulement entendu parler
même ses ruines ont disparu
sous les feuillages de la forêt primitive

dans la mémoire des montagnes
parmi les reflets du soleil sur la rivière
des têtes auréolées de réflecteurs
le plancher ciré d'une piste de danse
les longs après-midi de noces
quand le jour se glissait dans la nuit
au cœur du temps qui passait
en enfilades de verres levés bien haut
rythmes joyeux des chansons tristes
la romance d'une jeunesse
refusant de mourir
comme toute vraie jeunesse
les yeux et les sourires pleins d'étincelles
toujours sur le point d'embraser les corps
à leur faire rendre l'âme

tout est à nouveau à défricher

LA BEAUTÉ DES CHOSES BRISÉES

des arbres morts aux branches éparpillées
sur une eau de vieux miroir infidèle

toutes les nuances de la lumière
de la plus sale à la plus pure
bouillonnent de bave
au hasard de la destruction
dans cette plaie de la terre
un marécage au bord de la route

viennent mourir ici
les journées au bout de leur sang
la promesse mauve des nuages encore chauds
un ciel de proie aux plumes d'éclairs
les sourires devenus blessures

dans l'œil d'une tempête de verdure
un paysage mûri à l'excès
peut-être en avance sur son temps
tout ce qui finit toujours par tourner mal
depuis le début

attirante comme une éclipse solaire
cette oasis de choses brisées

LA FACE CACHÉE DU SOLEIL

dans l'air flotte cette couleur de santé
que prennent les joues en plein air
sous le rire joyeux du vent
en ce dimanche qui laisse sur toutes les lèvres
des superlatifs au sujet du temps

la lumière se retire à pas de ballerine
la terre devient une pêche lumineuse
le bleu du ciel
où pas un nuage n'est passé de la journée
déteint sur la neige fraîche tombée la veille
la nuit crève ses eaux sans douleur
pour accoucher du crépuscule
et le soleil compose un feu de bengale
en s'enfonçant amoureusement à l'horizon

à la dernière flamme du jour
noircit sans brûler une maison
dans un halo de sainteté
vision certaine d'un foyer heureux

jusqu'à l'apparition des feux des gyrophares
d'un autre rouge d'un autre bleu

des ombres portent des morts en frissonnant

LE CRÉPUSCULE
EST UNE FLEUR DU CIEL

la lueur d'une lampe sort sur le balcon
le café d'en face est désert
la serveuse s'est attablée sur la terrasse
avec le seul client
au-dessus de leurs têtes et des toits
le crépuscule est une fleur du ciel
ils ont l'air heureux d'être ensemble

la nuit s'amène en marchant sur le fil du jour
la lueur fait les cent pas sur le balcon
en éclairant une penderie
et une valise ouverte sur le lit

en bas le café n'est plus désert
un groupe bruyant a envahi la terrasse
la serveuse a repris son boulot
l'homme son monologue intérieur
plus rien ne sera échangé entre eux
que des formules de politesse
et des pièces de monnaie

sur le balcon la lumière s'est éteinte
le ciel a eu le temps de changer de couleur
le crépuscule est déjà une fleur fanée

VOUS AVEZ UN NOUVEAU MESSAGE

clignotant rouge sur téléphone noir
une ambulance a traversé la fenêtre
jusque dans ma tête poursuite policière
camion de pompiers en flammes

le clignotant rouge me le disait
la boîte vocale me le répète
j'ai un nouveau message
je le prends mais n'y comprends rien
moquerie détresse menaces
la courbe des nuages
épouse l'ombre des mains géantes
qui rampent sur les terrains vagues
en bordure des chantiers

c'est sans doute un faux numéro une erreur
même si l'erreur laisse toujours un doute
sur la suite à donner au détournement de
l'aube

en actionnant une commande sur l'appareil
je peux mais devrais-je retourner cet appel
« provenant d'un numéro inconnu »
comme le dit si bien que j'en frissonne
la voix anonyme de la boîte vocale
identique à celle du message

CULTIVATEURS DE L'OMBRE

au fond des champs de maïs qui s'endorment
des rubans roses se répandent dans le ciel
parmi les vapeurs d'une boule de feu
comme si toute la sueur de la journée
remontait vers l'espace en filaments
pour faire jouir la nuit et engendrer demain

pendant que les fenêtres prennent des couleurs
et les enfants leur bain
le fermier s'assoit sur la véranda
pour savourer le crépuscule

qui donc saurait déceler
que ce sont des cris de guerre
ces gazouillis qui font vibrer les feuillages

quand le soir souffle son haleine noire
c'est avec une tête de mort ces jours-ci
que le fermier contemple ses champs
il pense aux plantes à cinq feuilles
qu'il a trouvées entre des rangs d'épis
à la lettre anonyme qu'il a reçue
à ces silhouettes de rôdeurs armés

de partout la terre ancestrale s'égosille

DÉTONATIONS

le réflexe d'aller d'une fenêtre à l'autre
et de scruter le décor habituel
maintenant chargé de mystères et de menaces
après ces détonations

un coup d'œil vers l'immeuble d'en face
en bas de l'escalier rien à voir
ni dans la rue qui s'étire en bâillant
sous les yeux vitreux et rougis des façades
à l'approche d'une nuit sans nuages

aucun feu d'artifice
dans l'aura des grands paons de béton
pas de bombardement non plus heureusement
rien d'important en fait
rien à craindre ni à admirer
à l'horizon sans fumée donc sans feu

mais les détonations ne venaient pas de si loin
les murs ont vibré
comme si quelqu'un se frayait un passage
en faisant résonner l'écho
de tout ce qui hurle en nous

LES VOIX DE MINUIT

un autoportrait de Van Gogh
chapeau de paille et verres fumés
sur un mur vaguement mauve
orage d'instruments électriques
vogue une voix
venue de la boue d'un glissement de terrain
« send me an angel »

par la fenêtre les passants
plantes grimpantes agitées par le vent
un gnome à dos de chameau
des briques serrées qui crient
« I'm waiting for you »
au flanc des bâtisses qui flottent
sur le visage
d'un gros homme aux yeux fermés
son pantalon tambourine d'espèces sonnantes
retenu par des bretelles d'autoroute

mais le long du trottoir
les coquelicots se mettent à chanter
et exhalent de fraîches jeunes femmes
dans les ondulations d'un pavé
dans une mare

LA PORTE DES ÉNIGMES

après avoir été très riche ou très pauvre
ou ne s'être jamais préoccupé de cette question
après avoir rêvé aimé peiné et recommencé
ou être resté indifférent
aux mouvements des saisons
après avoir voyagé sur terre sur mer
et dans les airs
ou s'être enraciné à la naissance
en un point précis
après des études poussées
de longues réflexions
de nombreuses lectures analyses et recherches
ou après n'avoir jamais pensé
à quoi que ce soit
après avoir travaillé sans relâche
à se briser le corps à se brûler le cerveau
ou après s'être laissé vivre à ne rien faire
en regardant tourner les manèges
et couler les cours d'eau
après avoir enfanté des êtres des oeuvres et des
empires
ou n'avoir rien créé du tout
après avoir été célèbre ou anonyme
après avoir été croyant ou athé
après avoir vécu un peu
beaucoup trop ou pas assez

on se retrouve toujours devant une même
porte
brumes et ricanements
avec cette voix qui vient de partout :
« maintenant devine ce qu'il y a derrière »

et la vie retourne à son labyrinthe

PROMENADE
DES RÊVEURS

Je passe et je demeure, comme l'Univers

Fernando Pessoa

DES NUAGES SUR LA ROUTE

une jonquille dans un verre
devant une fenêtre brouillée par la neige

le vent fait danser les larmes avec des diamants
sur la musique des fleurs
au bord de la fenêtre qui devient
une passerelle
pour un vol direct vers
une autre façon de voir et de sentir

parmi les lampadaires de l'après-midi
des yeux s'allument
l'air est une poudre pastel
la poussière avec la neige
remonte et tourbillonne
des êtres émiettés se voient
reprendre forme revenir à la vie
des lueurs
des murmures
vont et viennent dans des nuages sur la route
les ombres s'enlacent et s'étreignent

au-dessus des arbres secoués par la tempête
un cerf-volant virevolte comme un sourire

LA MUSIQUE D'UN REGARD

les feuillages dégoulinaient de lumière
la rivière coulait sans se presser
les vieilles pierres discutaient architecture
avec leurs sœurs plus modernes
et je déambulais une fois de plus
comme si j'allais vraiment quelque part d'autre
comme si ailleurs n'était pas précisément ici
à chaque pas
dans le mouvement même de la vie

je l'ai aperçue sur un banc
elle tenait un bambin debout sur ses genoux
petits gestes attentifs
pour le protéger de la fraîcheur du vent
elle ajustait ses vêtements
l'enfant se laissait tripoter
en battant lentement des paupières

je la regardais faire et je souriais en marchant
elle l'a senti et a levé les yeux
la douceur pâle de son visage
l'eau claire de son regard
spontané son sourire a fait un bond
vers mes lèvres
avec la grâce et l'innocence d'un chevreuil
traversant la rue en plein cœur de la ville

UNE CARESSE INCONNUE

d'une fontaine s'échappent des voix
en poussant un landau un couple approche
la femme se penche en souriant vers le bébé
dans une flaque piaffe leur autre enfant

tombe la chemise et ses motifs du matin
cigarette à la main
l'homme s'étend sur un banc
volutes de fumée gerbes d'écume
qui retournent sans cesse au même bassin

ses paupières sont les portes d'une maison
close
la musique du jet d'eau au milieu du parc
se jette dans les flots dorés du ciel
mais soudain l'homme ouvre les yeux
il a senti une main parcourir sa peau
caresse d'une douceur d'un autre monde
personne en vue pourtant

personne d'autre que sa femme
qui n'a pas bougé
qui sourit toujours au bébé
et leur autre enfant
à la poursuite de gouttelettes
scintillantes sous le soleil de midi

LES BERNACHES ET LES ARBRES

dans le sentier au crépuscule les pierres luisent
des arbres en fleurs tombent les étoiles à naître
sur le lac où les bernaches
avec leurs petits interrogent les reflets

un vent du sud souffle la vie sans âge
le soleil est couché sur la terre
sa bouche de phosphore s'ouvre à la nuit
sous des draps de feu

le temps de cueillir un bouquet de lilas
de flâner un peu sur les terrasses
de rêver dans les jeux d'ombre des feuillages
le temps de s'étendre sur une plage
de se décider à entrer dans l'eau
le temps de savourer
quelques fruits des champs
le temps de prendre le temps
et les bernaches ont eu le temps de partir

une nuit on jette un coup d'œil par la fenêtre
en cherchant on ne sait quoi qui s'échappe

la lune dessine les arbres sur la neige

LES PATINEURS

j'aime ces soirs quand nous marchons sur l'eau
quand nous dansons sur l'hiver
en flottant dans un rêve
parmi les lueurs des phares
et des arches des ponts
nous faisons partie de ces petites flammes
qui glissent dans la beauté terrifiante
de la nuit urbaine

chaque petit coup de lame qui nous fait
avancer
révèle peu à peu un visage inconnu de l'hiver

comme par enchantement cette saison maudite
qui nous pèse tant
que nous vivons comme une épreuve
à traverser
voici qu'elle nous révèle son sens caché
sa raison d'être sous cette glace d'oubli

c'est le repos de la nature
elle dort
et en patinant nous sommes dans son rêve
nous sommes sans cesse le futur en gestation
sous la cendre des saisons
tout ce qui doit se préparer à revivre

jusqu'à ce que le temps s'évapore
dans l'espace infini de tous les rêves

sinon pourquoi tant nous recueillir
devant nos ombres en mouvement sur la glace

FULGURANCE

elle a des pieds de ballerine
et elle marche bien droite
sur le serpent gris du soir naissant
la belle inconnue sans visage

le ciel se pommade de ses pas
de braises de soleil et d'oiseaux lointains
avant d'aller pourchasser la lumière
sur l'autre versant de la terre

cherche-t-elle quelque chose
la belle inconnue sans visage
douce prisonnière des ombres
je la vois pencher la tête
ses longs cheveux mollement attachés
comme des bras dans son dos

l'herbe est parcourue de présences
les zones noires des sous-bois se multiplient
un merle au torse fauve monte la garde
et soudain les ombres se sauvent
de tous côtés à l'approche des phares

la belle inconnue a pris pour visage
le spasme éblouissant de la nuit sur la route

APPARITIONS

lièvre dans un jardin
quartier de lune en plein jour
au détour beauté humaine d'une rue
à l'ouest visage rougissant
dans un parc atterrit une montgolfière

écureuil sur une branche
faisceau de lumière au creux des nuages
arc-en-ciel irradiant immeubles maisons arbres
buée bleue devant un bar
des enfants courent
en bordure d'une autoroute

un chat devant une porte
une silhouette à contre-jour
un bouquet de couleurs émergeant de la ville
dressé sur une table un saxophoniste
génie sorti d'une bouteille
caressée comme un rêve

en tenue légère
en riant comme une folle
la nuit court pieds nus sur l'horizon
parmi les voyous du ciel
qui crachent des étoiles

EMPREINTES

de fil en fil
tissés dans la flamme du soir
les poteaux d'électricité forment des ponts
pour relier aujourd'hui à demain

l'horizon a les cheveux noirs et frisés
les arbres prennent de grands respirs
frémissent en se faisant des aveux

si l'obscurité lance de nouveaux bruits
à la tête des rues
c'est encore le soleil
qui allume les fenêtres
les constellations terrestres

une égratignure
une fine trace
révèle la lumière
sous la surface sombre des choses

la lune invente une cédille au mot « ciel »

la nuit épelle les trajets des passants

UNE LUEUR AU-DESSUS DES TOITS

cette lueur qui a capté mon attention
au-dessus des toits taillés dans la pénombre
n'était-ce que la réverbération des phares
s'élevant de la rue
jusqu'aux tiges d'une antenne parabolique

j'ai cru voir une étoile filante
parcourir un instrument à cordes
j'ai même entendu
les notes d'un blues hispanique
à son plus aigu
sous les jupes du ciel

les arbres époussettent le cosmos
et alors que sifflent en même temps
des milliers d'arbitres cachés dans les pelouses
les fenêtres s'éteignent comme des écrans

cette lueur cette longue étincelle
j'en suis sûr maintenant
c'est le feu Saint-Elme au sommet d'un mât

je sens que j'avance
navire égaré
en direction d'un nouveau monde

LES SENTIERS
DU MONT DE VÉNUS

*Je te réinventerai pour moi comme j'ai le désir de voir se
recréer perpétuellement la poésie et la vie.*

André Breton
L'amour fou

LA LÉGENDE DE LUNE ROUSSE

elle était déjà dans le langage de l'eau
au temps où elle vivait parmi les humains
un signe de chaleur d'été
aussi sûr qu'une montée d'orgue de cigales
la voir onduler vers les vagues
qui lui léchaient les pieds
ses seins comme deux globes terrestres
(un pour la vie l'autre pour le rêve
les deux aussi légers
qu'un souffle d'érable argenté)
l'épine dorsale en flammèches de cheveux
jusqu'aux reins assez solides pour résister
à tous les assauts des hommes et du temps
la croupe d'un soleil devenu femme
dans l'alchimie des reflets
sur ses jambes puissantes

un jour brûlant de juillet
on attendit en vain de la voir apparaître
son absence défigurait la plage
dépeuplait l'été

le soir on remarqua que la lune
à son lever était maintenant rousse
et des enfants reconnurent son sourire

mais son corps n'a jamais été retrouvé

EN ATTENDANT LA FIN DES TEMPS

ta nudité est la lumière du jour
tu es de toutes les couleurs
de toutes les races
de toutes les espèces vivantes
tu es le prisme des mythologies
phosphore des fonds marins
ligne d'amour dans la main de l'horizon
tu es l'idole et la proie
le sel des rêves et le sucre des sentiments

les yeux fermés les lèvres tendues
moitié assise moitié étendue
sur un tremplin vers le ciel
au-dessus de l'eau embrouillée du monde
est-ce à un homme ou à un dieu
que tu t'offres ainsi

à moins que ce ne soit le soleil
qui te tourne autour
brouillant les pistes en attirant la planète
les heures ne seraient alors qu'un prétexte
pour te contempler sous tous les angles
entre les tours qui s'élèvent toujours plus haut
totems phalliques du culte de tes paupières

à la fin des temps tu nous ouvriras tes yeux

RETOUR D'EXIL

tous les pas enfuis sous la pluie sous la neige
les gestes d'amour passés sans se poser
les comètes aux sillages effacés dans l'instant
les mots doux tombés dans le vide
les beaux visages aperçus trop brièvement
et qui font chanter les guitares
au fond de l'impasse de vivre
tous les espoirs saccagés
comme des maisons en proie aux vandales
les trajets hallucinés sur des routes perdues
toutes les fleurs piétinées de rage
toutes les tendresses restées inachevées
se donnent maintenant rendez-vous
pistes de transe
allées phares allées lueurs
la fin du monde est un vieux souvenir
tu reviens chez toi m'habiter
intemporelle comme un rêve

il suffit d'un reflet dans tes yeux
pour que le décor devienne inoubliable
il suffit que tu souris
et ce moment recompose la mémoire
au bout de nos doigts
qui tracent leur itinéraire secret

ENCHANTEMENT

les rues les arbres
les formes fluides de la terre et du ciel
sont nimbés de ta présence
à chaque pas je peux te sentir
tu es la naissance des saisons
le chant de percussions de tous les horizons
un rivage bruissant au fond des paysages
je marche sans cesse vers toi
pourtant tu me suis pas à pas
tu es le souffle de la nuit qui m'accompagne
tes baisers font naître la rosée
sur mon corps ivre de tes caresses
ma vieille âme sœur au cœur de jeune fille
je te respire partout où je vais
dans le lit des premières formes de vie
jusqu'à l'œuvre accomplie de ta personne
ici là-bas là-haut tu existes vraiment
plus belle et plus chaude que le soleil
tu ne brûles pas tu enveloppes
je te regarde et tu fais du bien à mes yeux
je me lègue vivant à ta science
à ton art d'aimer à ta façon d'être
toutes les divinités s'évaporent
ta douceur est l'atmosphère de la planète
où je veux vivre

FEMME ÉCLOSION

les bruits de la nuit se rencontrent
et s'harmonisent
avec l'éclat de tes yeux
à la dérive des lumières de la ville
qui s'étirent vers les océans
sur la portée musicale de tes bras
tes mains reconfigurent les étoiles
je lis ma carte du ciel sur ton visage
bien sûr des ombres surgissent
tentent de s'agripper à nos pas
mais le vent les rejette en bordure du courant
dont tu émerges toujours plus belle
comme si la terre avait changé d'orbite
et que le soleil
n'habitait plus l'espace incommensurable
mais les signes et les lieux de ta présence
pendant que l'horloge rit nerveusement
éclipsée dans sa monotonie
par l'ardeur mystérieuse de nos pulsations
nous sommes la vie toujours en voyage
au cœur de chaque instant n'importe où

comme des oiseaux au printemps sur une île
toutes les lueurs du ciel et de la terre
se réunissent sur mes lèvres
pour t'embrasser partout

VÉRITÉ NUE

je jurerais que tu sors tout droit
du premier jardin de la vie
si je ne reconnaissais ta veste de jeans
pareille à la mienne
glissant le long de ton bras

les superbes plantes carnivores
derrière toi se liquéfient
tout le paysage se dissout
à force de saliver autour de ta peau
des formes enchantées de ton corps dévoilé

pour caresser tes jambes
les herbes piétinées se redressent toutefois
jusqu'à ce que disparaissent les sentiers battus
et toute métaphore imaginable
tellement tu englobes tous les sens
dans la nitescence de tes seins parfaits

mais je m'aperçois que
c'est moi que tu regardes comme ça
la plume m'en tombe des mains
tes épaules tes hanches aimantent mes doigts
bientôt mes lèvres butinent ton ventre
et la soie de ton slip ma langue la détisse

BEAUTÉ VITALE

je te regarde parmi les flammes des chandelles
tu brilles haute et droite sans jamais t'éteindre
tes mains jouent du piano sur mon corps
les miennes de la guitare sur le tien
que de passion que de tendresse
que de beauté irrépressible
le jaillissement même du ruisseau de la vie
sur nos lèvres et sur nos sexes

dans toutes les langues du monde
comme dans toutes celles qui restent à inventer
nous pourrions nous parler pendant mille ans
et avoir encore mille ans de choses à nous dire
et autant de caresses à échanger

je nage tout nu corps et âme dans tes yeux
ta douceur fait tourner la terre
tu es le vent d'été dans mes cheveux
tu es tout ce qui ne se dit pas
mais que je te dis quand même
comme un cri de jouissance
qui fait vibrer les astres
pour que le printemps de nos cœurs
remette le ciel sur le chemin des anges

EMBARCATION

à bord d'une barque
de musique
nous ramons doucement
en marge du monde
au cœur des lueurs d'un astre sans nom
aussi bien soleil brumeux que lune éclatante
un soupirail éclairé donne sur l'espace
je ne sais pas où nous allons
mais au fond de tes yeux
je vois
la chorégraphie des nuages d'été
une chandelle dans le ciel au crépuscule
je traverse la vanité des reflets
dans tes yeux
ce n'est pas moi que je vois
c'est bien toi
et c'est ce que j'aime
ta voix est l'écho d'un lointain cours d'eau
un verbe inconnu
qui nous appelle
nous unit
nous dépasse

tu es l'ensemble de mes horizons

J'ENTENDS PARLER DE TOI

les nuages sont des signaux de fumée
au-dessus des collines bleues
ils montent des profondeurs de l'horizon
de la vallée et de la ville
pour me parler de toi
avec la lente douceur de tes gestes
et la grâce de tes pas

on se croirait au lendemain de
toutes les guerres
tu marches vers moi sur la plage
tes yeux ont la couleur du crépuscule
quand matin et soir ne font qu'un

le sable valse avec le vent sur ton passage
comme si du grand sablier de l'univers
le temps s'était échappé

ton corps a survécu aux pires tortures
ton visage donne à la souffrance
ses lettres de noblesse
ton corps et ton visage réinventent la beauté

et rien ne pourra empêcher la beauté d'être

NOTE

Le port des nuages, *L'escalier mécanique* et *Roi des lueurs* (ces deux derniers dans des versions légèrement différentes) ont d'abord paru dans le collectif intitulé *Le temps est d'abord un visage*, publié aux Écrits des Hautes-Terres en 1999.

TABLE

Dans la même collection

Collectif, textes réunis par Stefan Psenak,
Le Poème déshabillé, poésie, 2000.

Fortin, Steve,
Solitudes mythologiques, poésie, 2001.

Huard, Julie,
Le Carnaval de la licorne, Lyrique à saveurs d'amour,
2001.

Lacombe, Gilles,
Un Chien rugissant, poèmes et dessins, 2002.

La Mesure du ciel sur la terre suivi de *Les Chats dans les
arbres*, poésie, 2001.

Éphémérides et Courants d'air, proses, 2000.

Pelletier, Pierre Raphaël,
J'ai à la bouche une libellule nue, poésie, 2000.